Cahier d'activités

Mélissa et ses amis

EXTRA

en tête **Français**
1er cycle du primaire

Ce cahier appartient à

Denise Gaouette

ERPi
ÉDITIONS DU RENOUVEAU PÉDAGOGIQUE INC.

5757, RUE CYPIHOT, SAINT-LAURENT (QUÉBEC) H4S 1R3
TÉLÉPHONE: (514) 334-2690   TÉLÉCOPIEUR: (514) 334-4720
erpidlm@erpi.com   www.erpi.com

Consultation pédagogique
Joceline Despins

Révision linguistique
Nicole Côté

**Conception graphique
et réalisation technique**

ERPI

Alphatek inc.

Couverture
Conception : Dessine-moi un mouton
Illustration : Diane Blais

Illustrations des personnages principaux
Danièle Dauphinais

Autres illustrations
Doris Barrette : p. 41
Diane Blais : p. I-III, I-3, 8, 10-11, 15, 19-21, 25, 33-34,
    39-40, 44, 46, 58, 60, 65-66, 70, 72, 83, 86-87, 92-95, III
Fanny Bouchard : p. 28, 48, 54-55, 60, 69, 78, 96, 117
Jacqueline Côté : pictogrammes d'unités
Daniel Dumont : p. 108
Élisabeth Eudes-Pascal : p. 31, 97
Nicole Lafond : p. 98
Benoît Laverdière : p. 7, 11, 13, 19-20, 23-24, 30, 32, 36-38, 47,
    52, 61, 64, 73, 77, 93, 101, 112-113, 115-119
Mireille Levert : p. 108
Claire Lemieux : p. 15, 22, 30, 39, 41, 50-51, 57, 59, 62, 67, 71,
    76, 85, 102-104
Hélène Meunier : p. 12, 14-16, 19, 84, 105
Cathy Mouis : 42
Jules Prud'homme : 65

Mélissa et ses amis,
Manuel A

Mélissa et ses amis,
Manuel B

Les trucs de Mini Pouf

Dépôt légal : 2e trimestre 2005
Bibliothèque nationale du Québec
Bibliothèque nationale du Canada

IMPRIMÉ AU CANADA
ISBN 2-7613-1816-1   234567890 II 09876
                                  10704 BCD   OFI0

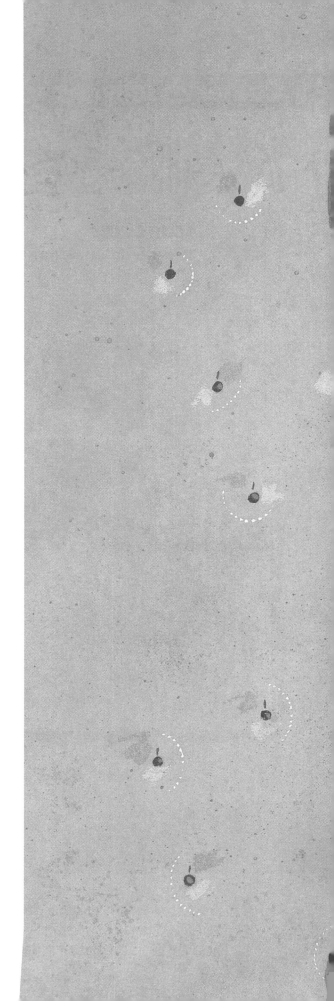

Tu as déjà ton livre
Mélissa et ses amis.
Voici ton cahier d'activités .

Ce cahier contient
des activités de lecture (📖)
pour t'aider à apprendre
à lire encore mieux.

Il contient aussi
des activités d'écriture (✏️)
pour t'aider à apprendre
à bien écrire.

Pour t'aider à lire les consignes

Colle 📄

Colorie

Découpe ✂️

Dessine
Illustre

Écoute

Écris ✏️

Entoure ✏️

Trace un X ✏️

Lis 📖

Regarde

Relie ✏️

Souligne ✏️

Unité 4

Unité 5

Unité 6

A
page
I

Je m'appelle...

Complète les phrases.

Colle les autocollants de la page 121 au bon endroit.

Bonjour !
Je m'appelle [   ].
J'ai [ ] ans.

Bonjour !
Je m'appelle [   ].
J'ai [ ] ans.

Les fiches de Mélissa

Lis les fiches.
Écris le nom de la personne ou de l'animal.

1 Voici Mélissa.

....

_____

2 Voici le papa de Mélissa.

....

_____

3 Voici la maman de Mélissa.

....

_____

4 Voici le chien de Mélissa.

....

_____

A

pages 1 et 4

Je me présente.

Voici ta fiche.
Écris les mots qui manquent.

Je m'appelle _____

J'ai _____ ans.

Mon papa s'appelle _____

Ma maman s'appelle _____

Je suis dans la classe de _____

Dessine-toi à côté de Médor.

(dessin)

Lis les phrases.

Colle les autocollants de la page 121 au bon endroit.

Écris le nom de l'animal ou de la personne.

1 Je suis le chien de Mélissa.

2 Je suis le chat d'Amélie.

3 Je suis l'ami de Mélissa.

4 Je suis l'amie de Mélissa.

Un message pour la maternelle

pages 10 et 11

Écris un message à ton enseignante ou à ton enseignant de la maternelle.

Choisis tes phrases à la page 121.

Colle tes phrases au bon endroit.

À:

Bonjour,

De:

5

Entre amis

1

Lis les phrases.

Colle les autocollants de la page 121 au bon endroit.

pomme

1

Mélissa aime Dimitri.

2

Médor mange la <u>pomme</u> de Mélissa.

3

Mélissa a 10 amis.

4

Mélissa embrasse Médor.

Entoure les noms des personnes.

Colorie les mots qui complètent les phrases.

Médor joue dans

| la classe. |
| l'auto. |
| la maison. |

Médor joue avec

| un chien. |
| un chat. |
| un lapin. |

Médor mange

| un ballon. |
| un os. |
| une orange. |

Médor embrasse

| sa maman. |
| une fille. |
| un garçon. |

Entoure les noms des personnes.

Je compose des phrases.

Lis les mots.

Relie les mots pour faire deux phrases.

La fille	aime	la jupe.
Le chien	mange	son papa.
Le garçon	joue avec	l'orange.
Le chat	porte	sa maman.

Colle les mots de la page 119 pour faire tes deux phrases.

Écris tes deux phrases.

Lis le texte.   **Écris** les réponses aux questions.

Adam a perdu son lapin.
Adam pleure.
Adam cherche partout
dans la maison.
Adam trouve son lapin
sous le pantalon
de son papa.

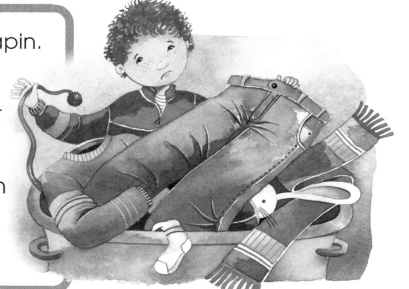

❶ Que cherche Adam ?

_____

_____

❷ Où est le lapin d'Adam ?

_____

_____

_____

Donne un nom au lapin d'Adam.

_____

_____

(dessin)

La chambre et la classe

Complète les phrases.

Colle des autocollants de la page 119 au bon endroit ou **écris** des mots.

ordinateur

1

Dans la chambre, il y a :

-
-
-
-

2

Dans la classe, il y a :

-
-
-
-

2

**m pareil...
pas pareil**

A
page
30

❶ Lis les mots.

Colorie sur chaque tête de clown les cases qui sont pareilles.

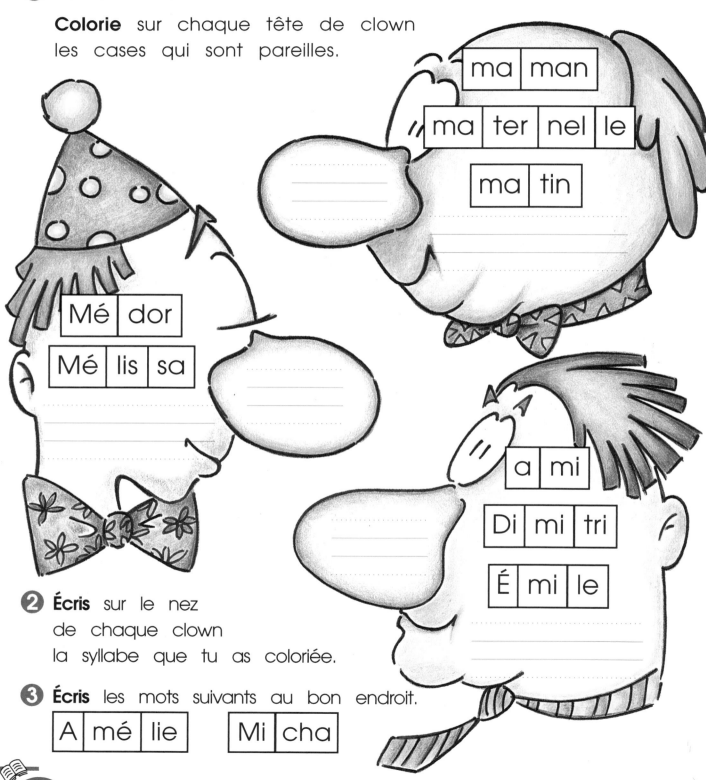

ma	man

ma	ter	nel	le

ma	tin

Mé	dor

Mé	lis	sa

a	mi

Di	mi	tri

É	mi	le

❷ Écris sur le nez de chaque clown la syllabe que tu as coloriée.

❸ Écris les mots suivants au bon endroit.

A	mé	lie

Mi	cha

12

J'écris bien...

1 Mélissa a écrit un message.

Écris les mots qui manquent.

Trace bien tes lettres.

moi	amie	aime	ma	maman	Mélissa
1	2	3	4	5	6

Ma maman

Ma maman joue avec _____ .
1

C'est mon _____ .
2

Je l'_____ , _____ _____ .
3   4   5

_____
6

××

2 Mélissa a écrit des mots.

Écris les syllabes qui manquent.

to   lon   to te

2

Lis les mots.

Entoure le mot qui ne va pas dans l'ensemble.

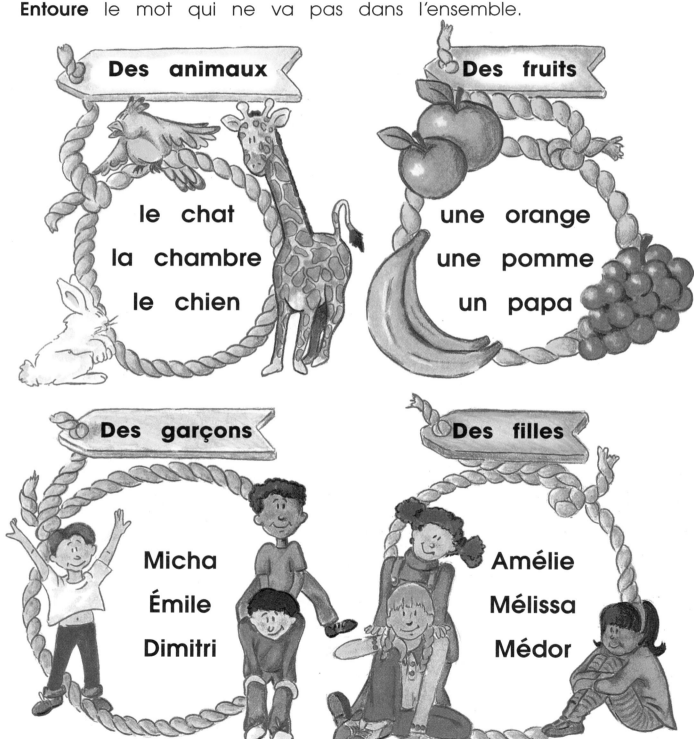

Des animaux

le chat

la chambre

le chien

Des fruits

une orange

une pomme

un papa

Des garçons

Micha

Émile

Dimitri

Des filles

Amélie

Mélissa

Médor

Où es-tu ?

Lis les phrases.   Complète les dessins.

1

Micha est _sur_ l'auto.

2

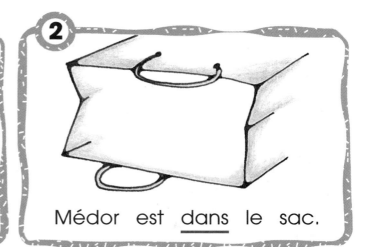

Médor est _dans_ le sac.

3

Le chien est _sous_ le lit.

4

Le chat est _sous_ la chaise.

5

La pomme est _dans_ la main du petit garçon.

6

Le ballon est _près_ du pied de la petite fille.

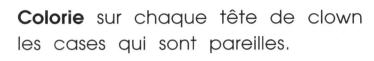

A page 35

1 Lis les mots.

Colorie sur chaque tête de clown les cases qui sont pareilles.

2 Écris sur le nez de chaque clown la syllabe que tu as coloriée.

Mé	lis	sa

mes	sa	ge

sa	me	di

clas	se

em	bras	se

Sa	ko

se	mai	ne

Sa	mu	el

3 Écris les mots du carnet au bon endroit.

Un message
pour mes parents

Écris un message à ta maman
ou à ton papa.

Choisis tes phrases à la page 119.

Colle tes phrases au bon endroit.

À:

De:

À l'école

Compose une histoire.

1 Choisis un personnage.

Médor   Micha   Têtu

2 Choisis un animal.

mouton   lapin   ours

3 **Écris** ton histoire.

Écris le nom du personnage et de l'animal que tu as choisis.

_____ à l'école

_____ dessine un _____.

_____ découpe son _____.

_____ colle son _____

sur le tableau de la classe.

> Lis ton histoire à tes amis.

(dessin)

Lis le texte.

Toc, toc, toc. C'est l'Halloween.
Samuel <u>ouvre</u> la <u>porte</u>.
Sa maison est décorée
de citrouilles et de ballons.

Samuel <u>donne</u> des pommes
et des sous noirs aux enfants.
Samuel <u>donne</u> aussi
des bonbons et des macarons.

Samuel sourit. Les enfants sont contents.

ouvre

porte

donne

Entoure les bonnes réponses.

1 Avec quoi est décorée la maison de Samuel ?

2 Que donne Samuel aux enfants ?

Des déguisements

Lis la fiche de Dimitri.

> J'aimerais
> me déguiser
> en sorcière.

Voici tes fiches. **Écris** des messages.

J'aimerais

me déguiser

en

(dessin)

J'aimerais

déguiser mes amis

en

(dessin)

À l'école et à la maison

page 39

1 **Écris** le ou la devant les noms.

.... livre ◯	.... sac ◯
.... chaise ◯	.... porte ◯
.... tapis ◯	.... bureau ◯
.... table ◯	.... tableau ◯
.... pupitre ◯	.... classe ◯
.... bibliothèque ◯	.... chambre ◯

2 **Colorie** en **bleu** le ◯ des noms masculins.

3 **Colorie** en **rouge** le ◯ des noms féminins.

Trouve-moi.

Lis chaque phrase. **Écris** la réponse.

le canari

le chat

la girafe

l'éléphant

la vache

le hibou

le lapin

la mouche

Qui suis-je ?	Réponses
❶ Je miaule.	•
❷ J'ai un long cou.	•
❸ J'ai des longues oreilles.	•
❹ J'ai des grands yeux.	•
❺ Je chante bien.	•
❻ Je donne du lait.	•
❼ Je suis petite.	•
❽ Je suis gros.	•

Mes goûts

page 21

pages 50 à 53

① **Lis** les mots de chaque ensemble.

Complète les phrases.

Écris les mots de ton choix.

Animaux

le poisson	le chat
le canari	le chien
la souris	le lapin
le hamster	le cheval

Mon animal préféré est

Couleurs

brun	●	blanc	○
jaune	○	gris	●
rouge	●	vert	●
bleu	●	rose	●

Ma couleur préférée est le

② **Écris** le nom d'un animal dans ⬚ .

Écris le nom d'une couleur dans ⬚ .

Je donne

à Mélissa.

pages
50 à 53

pages
21 et 27

Des drôles d'animaux

3

Lis les phrases.

Dessine ce qui manque sur les illustrations.

1

La vache jaune
lèche Médor.

2

Le singe noir
monte à cheval.

3

Le lapin brun
joue au ballon
avec le mouton.

4

La souris grise
mange une tomate
sur le dos du lama.

Lis les phrases.

Écris les phrases au bon endroit.

- Guillaume joue avec son chien.

- Guillaume joue avec sa maman.

- Guillaume marche avec son amie.

- Guillaume mange.

- Guillaume regarde un livre.

Guillaume

2

Guillaume

3

Guillaume

4

Guillaume

5

Guillaume

Mon chien et ma chatte

Lis le texte.

Colle les autocollants de la page 117 au bon endroit.

Mon chien	Ma chatte
Mon chien est malade.	Ma chatte va bien.
Il ne mange pas.	Elle mange beaucoup.
Il ne joue pas.	Elle joue avec un chat.
Il se couche le jour.	Elle ne se couche pas le jour.
Donne un nom au chien.	**Donne un nom à la chatte.**

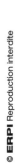

A
pages
54 et 61

Des mots illustrés

3

Lis les mots.

Colle les autocollants de la page 117 au bon endroit.

la tomate	une étoile	le mouton
la moustache	le chou	une orange
la mouche	la maman	

Mange bien !

1 **Lis** les noms des aliments.

du céleri	du raisin	du chou
une banane	une orange	du melon
une poire	une pêche	une patate
une échalote	de la laitue	une tomate

Écris les noms des aliments dans les bons ensembles.

Des légumes	Des fruits
•	•
•	•
•	•
•	•
•	•
•	•

2 Complète les phrases. **Écris** les mots de ton choix.

Dans ma soupe, il y a :

- ....
- ....
- ....
- ....
- ....

Dans ma salade de fruits, il y a :

- ....
- ....
- ....
- ....
- ....

Lis tes phrases à tes amis.

Un beau bonhomme

 A

pages 24 et 25

pages 62 et 63

1 **Lis** le texte.

Dessine le personnage.

yeux	nez	bouche
corps	bras	pied

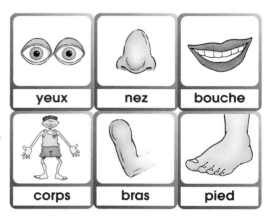

Des fruits

Sa tête est une pomme.

Ses <u>yeux</u> sont des raisins.

Son <u>nez</u> est une cerise.

Sa <u>bouche</u> est une pelure d'orange.

Des légumes

Son <u>corps</u> est une carotte.

Ses <u>bras</u> sont des céleris.

Ses <u>pieds</u> sont des gros radis.

2 **Entoure** en rouge les noms des fruits.

3 **Entoure** en vert les noms des légumes.

(dessin)

Des phrases amusantes

Lis les phrases de Mélissa.

Écris les phrases au bon endroit.

1. Le chien est en chaloupe.

2. La mouche porte un chapeau.

3. Le lama fume la pipe.

4. Le chameau se mouche.

Une fête pour grand-papa

pages 68 et 69

Lis le texte. **Écris** les réponses aux questions.

La maison est décorée de ballons. Sur la table, il y a des roses rouges. Papa apporte le gâteau. Maman apporte le lait.

Grand-papa ouvre ses cadeaux. Grand-papa trouve un chapeau et un livre. Mélissa donne une tasse à grand-papa. Médor lèche l'oreille de grand-papa.

1 Qui fête grand-papa ?

2 Quels cadeaux reçoit grand-papa ?

34

© **ERPI** Reproduction interdite

Bonne fête, Têtu !

Écris une histoire.
Complète les phrases.

C'est la fête de Têtu.
Têtu a   ans.
Têtu a invité
....

....

Têtu ouvre ses cadeaux.
Têtu trouve
....

....

Têtu mange
....

Lis ton histoire
à tes amis.

(dessin)

3

Bonne fête, Micha !

A
page
70

1 **Écris** les mots qui manquent.

| auto | fête | souris | miel | mouche |

C'est la fête de Micha.

Il a invité ses amies : la _____

_____ et la _____ .

Il a reçu une petite _____ .

Les invités ont mangé du _____ .

Quelle belle _____ !

2 **Écris** de mémoire les mots qui sont illustrés.

_____

_____

_____

_____

Joue avec les lettres.

3

page 70

Lis les mots.
Colle les autocollants de la page 117 au bon endroit.

l apin	**s** apin
b ouche	**m** ouche
f ête	**t** ête
m atin	**p** atin
m ère	**p** ère
h omme	**p** omme

Des mots à compléter

page 76

1 **Écris** ou, on ou oi pour compléter les mots.

une ét ____ le

le ball____

le coch____

le r____

la t____pie

il déc____pe

2 **Écris** an, ai ou eau pour compléter les mots.

il ____me

le chap____

il ch____te

il d____se

la l____tue

le mant____

Parle-moi de toi...

1 **Écris** les mots de ton choix dans les ⌐▢ .

| malade | seul | content | poli | méchant |
| drôle | seule | contente | polie | méchante |

Je suis

Je suis

Je suis

Je suis

2 **Dessine-toi** en père Noël ou en mère Noël.

Écris une phrase de ton choix.

(dessin)

Je suis

Des cadeaux de Noël

A
page
82

Le magicien Bravo a fait apparaître des cadeaux de Noël.

Écris le numéro des cadeaux qui sont illustrés.

1. une vache en peluche
2. un avion et un parachute
3. un chaton qui miaule
4. un robot qui marche
5. des vêtements de poupée
6. un jeu vidéo
7. un sac à dos
8. un violon
9. un vélo
10. une voiture de course

pages 84 à 86

page 48

Des messages d'amour

Écris deux messages d'amour pour Noël.

Tu peux utiliser les mots suivants :

| Cher ami | Joyeux Noël ! | Je t'aime beaucoup. |

| Chère amie | Je t'embrasse. | père Noël |

41

À: ....

De: ....

À: ....

De: ....

page 86

Des cartes de Noël

Mélissa a fabriqué des cartes de Noël.

Lis les consignes.

Dessine ce qui manque sur les cartes de Mélissa.

1 Dessine une robe et un balai à la mère Noël.

2 Dessine un biberon et une couche au bébé.

3 Dessine une vache sur la valise du père Noël.

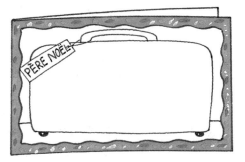

4 Dessine une étoile sur la cheminée de la maison.

Tout en couleur

Lis les noms des couleurs.   **Colorie** l'illustration.

pages 88 à 90

page 46

Un arbre de Noël

Écris la consigne pour décorer l'arbre de Noël.

Tu peux utiliser les mots suivants :

des boules	des étoiles	vertes
des guirlandes	des glaçons	bleues
des lumières	rouges	jaunes

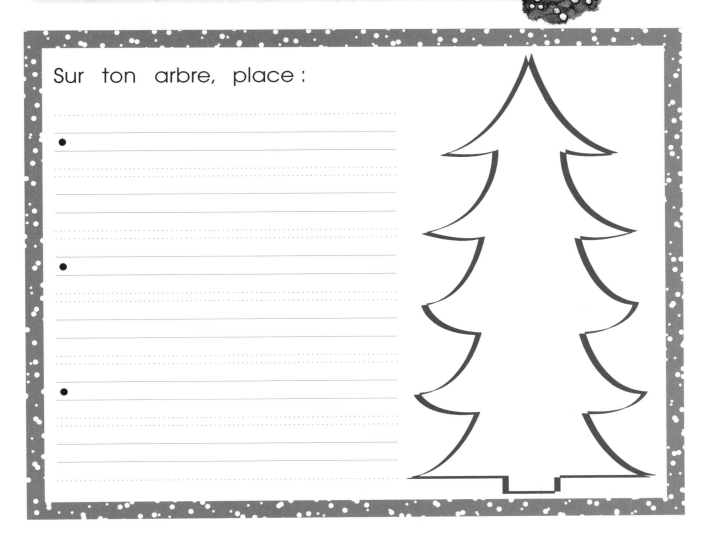

Sur ton arbre, place :

-
-
-

45

Une comptine amusante

4

Écris une comptine.   Complète les phrases.

As-tu déjà vu
un cochon
dans un camion ?

As-tu déjà vu
un lionceau
sur une moto ?

As-tu déjà vu
une souris
dans un taxi ?

As-tu déjà vu
_____
dans un avion ?

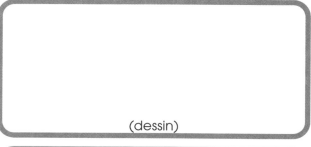

(dessin)

As-tu déjà vu
_____
sur un vélo ?

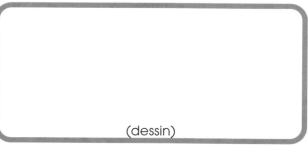

(dessin)

As-tu déjà vu
_____
dans un bateau ?

(dessin)

Lis ta comptine
à tes amis.

c **dur ou doux**

Lis les mots.

la limace
le chocolat
le cure-dent
le cadeau
cocorico !

la cerise
le pouce
le céleri
la soucoupe
silence !

Écris les mots au bon endroit.

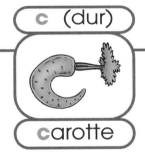

c (dur)

carotte

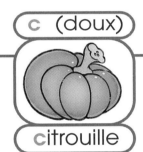

c (doux)

citrouille

Joyeux Noël !

 page 102

Relie les lettres.   Suis l'ordre de l'alphabet.

m

l • • n

k • • j   p • • o

i • • h   r • • q

g • • f   t • • s

e • • d   v • • u

c • • b   x • • w

a •   • y

Micha   Sako   Mélissa   Émile   Têtu   Médor

Bien au chaud

Écris un texte pour décrire les vêtements que tu portes en hiver.

Tu peux utiliser les mots suivants :

habit de neige	rouge	vert
tuque	botte	bleu	blanc
écharpe	mitaine	jaune	brun

Je porte

Je porte

Je porte

(ton prénom)

Mes amis
en classe de neige

Imagine que tu es
en classe de neige.

Écris des textes pour raconter
ce que font tes amis.
Complète les phrases
avec les prénoms de tes amis.

Dans la cour

- .... fait un bonhomme de neige.

- .... bâtit un château de glace

  avec ....

- .... et .... glissent en traîneau.

Sur la patinoire

- .... joue au hockey

  avec ....

- .... et .... patinent.

B

page 4

5

Sur la pente

- .... fait du surf des neiges.

- .... fait du ski alpin

  avec ....

Dans la forêt

- .... fait du ski de fond.

- .... fait de la raquette.

- .... et .... font de la motoneige.

Écris une phrase pour raconter ce que tu fais.

Je
....

(dessin)

Lis ton texte à tes amis.

51

(**g**) **dur ou doux**

Lis les mots.

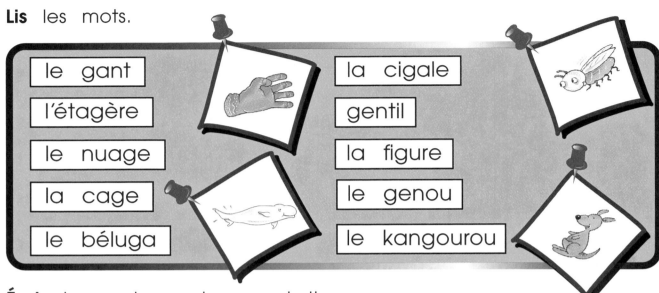

le gant	la cigale
l'étagère	gentil
le nuage	la figure
la cage	le genou
le béluga	le kangourou

Écris les mots au bon endroit.

g (dur)

gorille

g (doux)

girafe

- _____
- _____
- _____
- _____
- _____

- _____
- _____
- _____
- _____
- _____

Des mots nouveaux

Colle les autocollants de la page 115 au bon endroit.

la bouche

| la couche | la mouche | la douche |

| la classe | belle | la boule |
| la tasse | la pelle | la poule |

| le mouton | la loupe |
| le bouton | la soupe |

le château
le gâteau

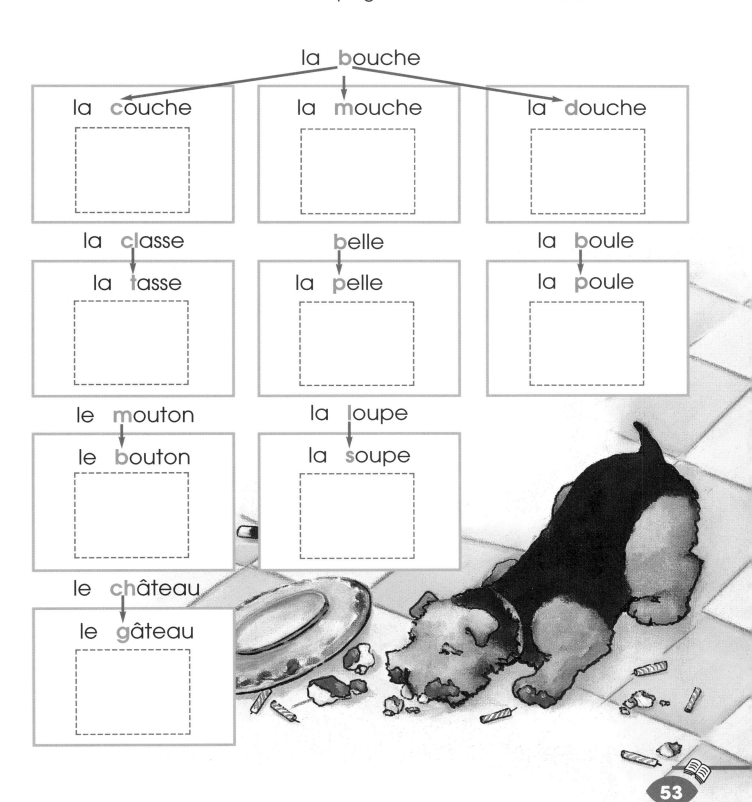

Les activités de Jade

Lis la liste des activités préférées de Jade.

Écris les phrases au bon endroit.

Jade joue aux jeux vidéo.	Jade joue au hockey.
Jade bâtit un igloo.	Jade fait de la raquette.
Jade fait de la magie.	Jade fait des gâteaux.
Jade découpe des images dans un catalogue.	Jade lit un livre sur le judo.

Activités à l'extérieur de la maison

Activités à l'intérieur de la maison

Que font mes amis dans la classe ?

B pages 6 et 7

Lis le texte.

> Dans ma classe...
>
> $\boxed{\text{Dimitri}}$ lit des livres.
>
> $\boxed{\text{Sako}}$ fait des mathématiques.
>
> $\boxed{\text{Philomène}}$ écrit des mots.
>
> $\boxed{\text{Pénélope}}$ joue du piano.
>
> $\boxed{\text{Émile}}$ dessine des animaux.

Écris un texte semblable.

Remplace les mots encadrés par les prénoms de tes amis.

Dans ma classe...

Abracadabra !

Lis le texte.

Colorie ce qu'il y avait dans la valise magique.

Dans la valise magique de Coqueluche, il y avait :

* ★ deux lapins,
* ★ dix colombes,
* ★ quatre papillons,
* ★ cinq as de pique,
* ★ six oeufs
* ★ et un joli bébé cochon.

5

Un jouet de l'espace

pages 16 et 17

Voici comment faire une fusée.

Lis les consignes.

Entoure ce qu'il te faut pour faire la fusée.

Comment faire

1 • Prends un tube de carton.
   • Peins le tube avec de la gouache.

2 • Prends un cône.
   • Peins le cône avec de la gouache.

3 • Prends une bande de papier d'aluminium.
   • Découpe le papier.

4 • Colle ensemble les trois morceaux.

Ce qu'il te faut

ALUMINIUM

Des constellations

Lis le texte.

Écris les noms des constellations.
Suis l'ordre de l'alphabet.

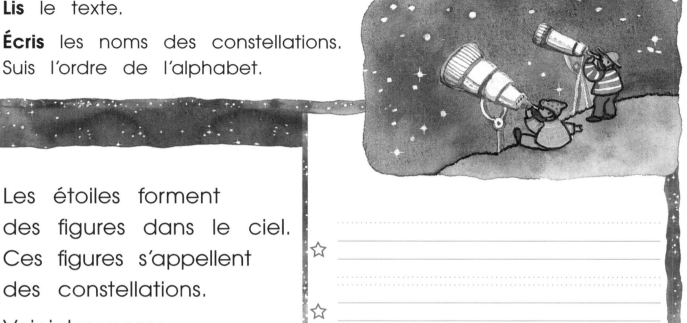

Les étoiles forment
des figures dans le ciel.
Ces figures s'appellent
des constellations.

Voici les noms
de certaines constellations :

☆ Girafe

☆ Lion

☆ Chien de chasse

☆ Mouche

☆ Taureau

☆ Caméléon

☆ Loup

☆ Oiseau du paradis

Des voyages dans les airs

pages 16 et 17

Lis les textes.

Écris elle, il, elles ou ils pour compléter les phrases.

Gédéon est un astronaute.

....

_____ voyage en fusée.

Gaby est une pilote.

....

_____ voyage en montgolfière.

Magali et Gino sont des pilotes.

....

_____ voyagent en avion.

Gisèle et Gina sont des extraterrestres.

....

_____ voyagent en soucoupe volante.

Des mots découpés

5

Relie les syllabes pour former les mots qui sont illustrés.

Écris les mots que tu as formés.

1	do	ma	no	**1** domino
2	to	ran	ge	**2**
3	o	mi	te	**3**
4	ba	le	lon	**4**
5	pan	na	ne	**5**
6	cé	ta	ri	**6**
7	ga	toi	le	**7**
8	la	ra	bo	**8**
9	é	va	ge	**9**

6

Où es-tu ?

Lis les phrases.   Complète les phrases.

Utilise les mots suivants.

une clinique	un magasin	une épicerie
un musée	un aéroport	une gare
une piscine	un aréna	une boulangerie

1 J'achète des fruits et des légumes

dans _____

2 Je regarde des sculptures et des masques

dans _____

3 Je salue les passagers du train

dans _____

4 Je nage comme une grenouille

dans _____

5 Un homme soigne ma brûlure

dans _____

6 J'achète du pain et des beignes

dans _____

7 Je regarde des poupées, des oursons et des jeux

dans _____

8 Je salue le pilote d'un avion

dans _____

9 Je joue au hockey avec mon équipe

dans _____

Quelle belle journée !

6

Écris un texte.
Complète les phrases.

À l'animalerie, j'ai vu

Au magasin, j'ai vu

À la bibliothèque, j'ai lu

Au parc, j'ai joué avec

Au restaurant, j'ai mangé

(dessin)

Des mots à compléter

page 27

Écris **au**, **en**, **eu**, **in** ou **un** pour compléter les mots.

Le temps

v ____ dredi   l ____ di

j ____ di   le mat ____

Des nombres

____ ____   c ____   q ____

d ____ x   n ____   f ____

Des couleurs

br ____

j ____ ne

bl ____

Des qualificatifs

cont ____ te

ch ____ de

h ____ te

La nature

le f ____

le v ____ t

le jard ____

B
pages 28 et 29
page 47

Je t'aime !

Écris des messages d'amour
à des personnes que tu aimes.

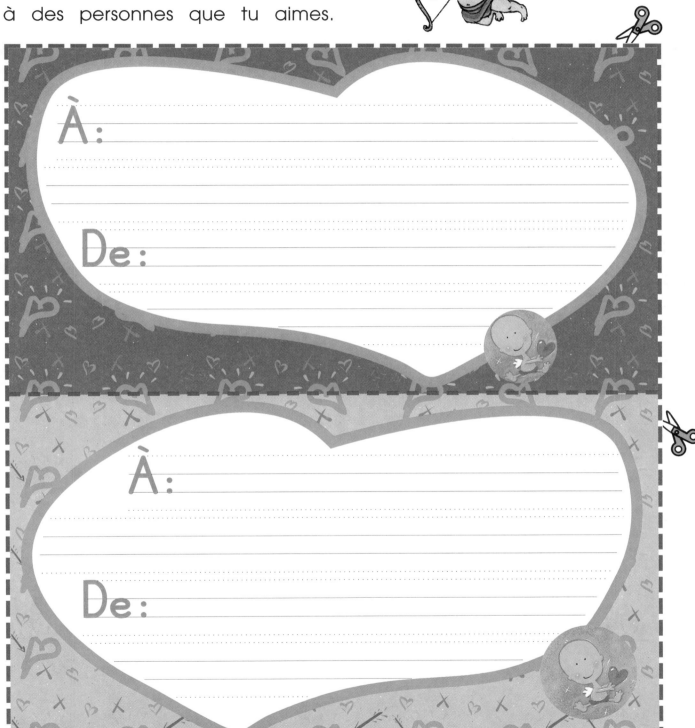

À:

De:

À:

De:

J'aime quand tu

Tu es

B page 31

Des dessins à compléter

6

Lis les phrases.

Dessine ce qui manque sur les illustrations.

1

Dessine une banane sur la nappe.

2

Dessine une niche noire.

3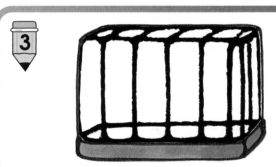

Dessine un animal dans la cage.

4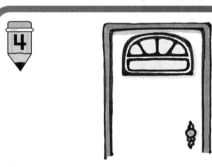

Écris le numéro huit sur la porte.

5

Dessine une étoile sur un genou de Nicolas.

6

Dessine une lune et deux nuages dans le ciel.

Des mots d'amour

① **Lis** chaque message. **Regarde** les illustrations.

Écris dans chaque ♡
le numéro du message qui est illustré.

1
J'aime
quand tu m'aides
à ranger ma chambre.

2
J'aime
faire l'épicerie
avec toi.

3
J'aime
faire le ménage
de la classe
avec toi.

4
J'aime
laver la vaisselle
et chanter
avec toi.

5
J'aime
regarder un film drôle
à la télévision
avec toi.

6
J'aime
quand tu joues
aux jeux vidéo
avec moi.

7
J'aime
quand tu caches
un mot d'amour
sous mon oreiller.

8
J'aime
quand tu me lis
une histoire
pour m'endormir.

2 **Écris** le message que tu préfères.

6 Bien au chaud !

pages 27 et 29

B

pages 34 et 35

Lis le texte. Habille les animaux.

Colorie leurs vêtements.

Médor porte une tuque verte.

Il a un manteau jaune.

Il porte des bottes roses.

Micha porte un chapeau rouge.

Il a une écharpe bleue.

Il porte des pantoufles mauves.

Têtu porte un pyjama orange.

Il a un ruban brun autour du cou.

Il porte des bas verts.

page 36

page 65

6

Des monuments de glace

Voici des monuments de glace.

Souligne les noms.   **Entoure** les adjectifs.

une marmotte endormie	des oursons amoureux
des belles sorcières	un renard curieux
un raton laveur gourmand	une grosse tortue

Écris dans chaque case le nom d'un monument de glace.

Nom masculin	Nom féminin

Nom singulier	Nom pluriel

J'écris des mots.

B
page 42

Associe les syllabes pour former les mots qui sont illustrés.

Colorie les cercles pour indiquer tes réponses.

1. bour ⬤

2. bar ◯

3. por ◯

4. cor ◯

5. car ◯

6. our ◯

◯ son

◯ te

◯ bu

⬤ don

◯ de

◯ te

Écris les mots que tu as formés.

1. bourdon   2. ___   3. ___

4. ___   5. ___   6. ___

Des phrases amusantes

6

Écris de mémoire les phrases qui sont illustrées.

① Têtu embrasse la poupée.

②

③

④

⑤

Un voyage de rêve

Imagine que tu possèdes un moyen de transport.

Écris un texte pour raconter ce qui t'arrive avec ce moyen de transport.

Prépare-toi à écrire.

☐ Quel moyen de transport conduis-tu ?

une auto

un bateau

une montgolfière

un avion

une fusée

une moto

☐ Avec qui voyages-tu ?

☐ Où se déroule l'histoire ?

☐ Qu'arrive-t-il dans ton histoire ?

au début   au milieu   à la fin

Un voyage de rêve

Révise ton texte avec tes amis.

(dessin)

Bon voyage !

Lis les phrases.

Écris les phrases qui sont illustrées.

1. Des clowns voyagent en montgolfière.

2. Un clown voyage en fusée.

3. Des clowns voyagent en autobus.

1. Des clowns voyagent en chaloupe.

2. Des clowns voyagent en camion.

3. Un clown voyage en paquebot.

7

Mes amis

1 **Lis** le prénom des amis de Pénélope.

Écris les prénoms. Suis l'ordre de l'alphabet.

Les filles

Philomène

Amélie   Mélissa

1 _____
_____

2 _____
_____

3 _____
_____

Les garçons

Émile

Dimitri   Sako

1 _____
_____

2 _____
_____

3 _____
_____

2 **Écris** le prénom de six amis.   Suis l'ordre de l'alphabet.

Les filles

1 _____

2 _____

3 _____

Les garçons

1 _____

2 _____

3 _____

La belle famille

Écris as ou os pour compléter les mots.

Grand-maman c _____ tor
met une lettre
à la p _____ te.

Papa c _____ tor
promène
bébé G _____ ton.

La fille c _____ tor
porte un c _____ que
de hockey.

Grand-papa c _____ tor
p _____ se la journée
à dormir.

Maman c _____ tor
c _____ se
une t _____ se.

 page 54

 page 48

Une lettre de moi

7

Écris une lettre à une personne pour lui dire que tu l'aimes.

Invite cette personne à venir te voir, à te téléphoner ou à t'écrire.

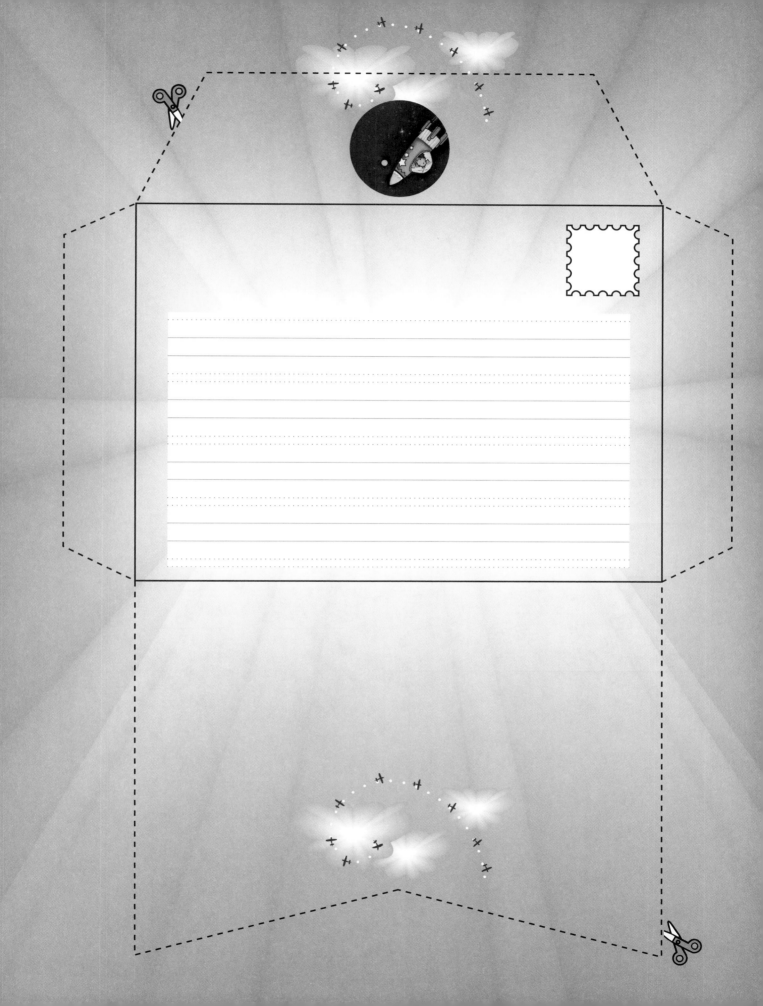

pages 55 et 56

Antonio, le facteur

7

Regarde l'illustration. **Lis** le texte. Complète les phrases.

Antonio a une longue barbe _____ .

Il a deux dents dans la _____ .

Il porte toujours une _____ sur la tête.

Antonio se promène en _____ à roulettes.

Il donne un ballon au _____ .

Il donne des biscuits au _____ .

7

Poissons d'avril

Dessine des bulles à chaque poisson dont tu peux lire le nom facilement.

Exemple :

| sar | di | ne |

| dau | ra | de |

| é | pi | no | che |

| u | ra | nos | co | pe |

| car | pe |

| mé | rou |

| gou | jon |

| mu | rè | ne |

Lis les noms des poissons à tes amis.

| sau | mon |

| ma | que | reau |

Des vêtements trouvés

1 **Lis** le texte.   **Colorie** les vêtements.

Patrice, le secrétaire de l'école, décide de faire le ménage. Il habille des mannequins avec des vêtements trouvés dans l'école.

Madame Tracy, la concierge, lui apporte :

- trois tuques
- un chandail pas très propre
- une écharpe trouée
- un gant rapiécé
- une mitaine au pouce rongé

2 **Écris** une phrase pour décrire les vêtements que tu portes aujourd'hui.

Je porte

Grand ménage à l'école

Lis les phrases.

1 Charlotte, la directrice, a trouvé la tuque de Pénélope.

2 Françoise, la secrétaire, a trouvé la botte de Dimitri.

3 Daniel, le concierge, a trouvé le chien de Didier sous une pile de vêtements.

4 Bruno, l'enseignant, a trouvé la chatte de Sako sous une pile de souliers.

Écris la phrase de ton choix.

Remplace les mots en **bleu** par d'autres prénoms.

Lis ta phrase à tes amis.

8

Des couleurs

page 68

Lis les phrases.

Écris des mots de ton choix dans les [ ].

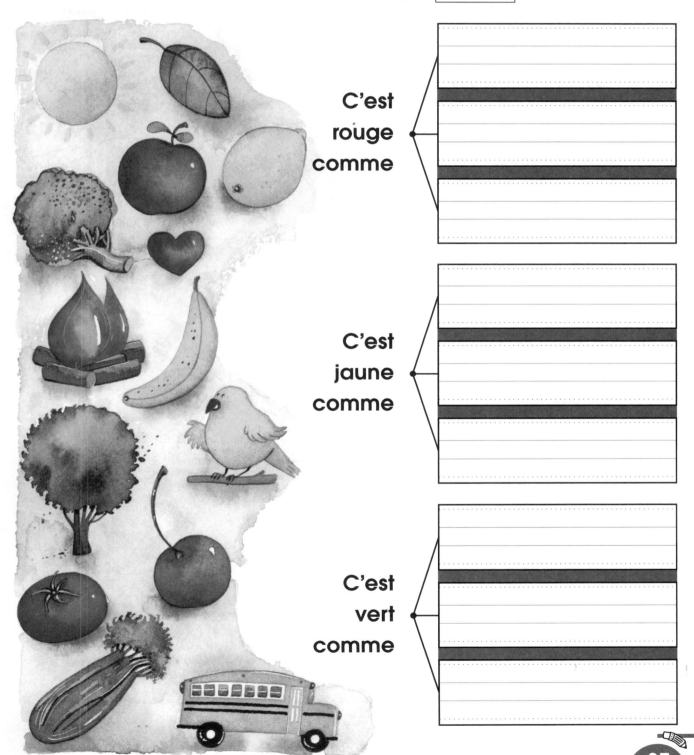

C'est
rouge
comme

C'est
jaune
comme

C'est
vert
comme

© **ERPI** Reproduction interdite

87

Une chasse aux trésors

Mélissa organise une chasse aux trésors pour sa famille.

Écris un texte pour raconter sa chasse aux trésors.

Prépare-toi à écrire.

☐ Quelles surprises cache Mélissa ?

une poule en chocolat

un lapin en chocolat

un oeuf coloré

des bonbons

☐ À quels endroits Mélissa cache-t-elle les surprises ?

un sac

une armoire

une corbeille à papier

une boîte

Tu peux utiliser les mots suivants :

• à côté	• dans	• en bas	• près de
• à droite	• derrière	• en haut	• sous
• à gauche	• devant	• entre	• sur

Une chasse aux trésors

Mélissa se déguise en lapin de Pâques.

Dans la maison, Mélissa cache _____

_____

_____

Son papa trouve _____

_____

Sa maman trouve _____

_____

Son grand-papa trouve _____

_____

Tout le monde est content.

Révise ton texte avec tes amis.

(dessin)

Des choix à faire

Lis les phrases.

Entoure les deux mots qui complètent chaque phrase.

1

Mes prénoms préférés sont :

- Frédéric
- prison
- vendredi
- frère
- Dimitri

2

Mes mois préférés sont :

- octobre
- livre
- vendredi
- février
- mardi

FÉVRIER

3

Je me promène en :

- pupitre
- traîneau
- tracteur
- astronaute
- réfrigérateur

4

Je parle avec :

- la chèvre
- le prince
- l'arbre
- le printemps
- la princesse

5

Je mange :

- un dragon
- un fruit
- une fenêtre
- un cadre
- du fromage

6

Je suis content.
J'ai trouvé :

- un ventre
- une surprise
- froide
- un front
- un trésor

Sur la ferme

Écris des adjectifs pour compléter les phrases.

Dans l'écurie, il y a :

un âne _____ ,

une ânesse _____

et des _____ ânons.

Dans la porcherie, il y a :

une _____ truie,

un cochon _____

et des porcelets _____ .

Dans la mare, il y a :

un _____ canard,

une cane _____

et des _____ canetons.

Lis tes phrases à tes amis.

Mes amis, les animaux

1 **Écris** les noms des animaux au bon endroit.

2 **Écris** les mots qui manquent.

Au jardin zoologique, j'ai vu

un _____,

_____

deux _____

_____

et trois _____ .

Photo de famille

Lis le texte.

Le photographe du journal a pris une photo
de la famille Léonardo.

Le roi Sébastien porte une cravate noire.
Sa chemise jaune est trouée aux manches.
Il a des souliers de cuir bleu.

La reine Britanica porte un manteau
de fourrure rouge.
Elle a une couronne en or sur la tête.

Les cinq princes portent des chemises roses.
Ils ont des bretelles grises.

La princesse a des cheveux bruns frisés.
Elle porte une jupe verte.
Elle a un chandail rouge à manches trop courtes.
Elle a une licorne en peluche rose sur ses genoux.

Colorie l'illustration.

8

Une dent qui tombe...

Colle les phrases de la page 115 au bon endroit pour faire une histoire.

Lis le texte à tes amis.

B

© **ERPI** Reproduction interdite

pages 90 et 91

pages 19, 48 et 49

Un départ

Imagine qu'un ami de ta classe a déménagé dans une autre ville.

Écris ce que pourrait lui dire trois amis.

Des mots bien classés

page 95

Lis les mots.

un oiseau	une fraise	une cerise
un magasin	un musicien	une cousine
du raisin	un dinosaure	une usine
un cuisinier	une maison	un visiteur
un musée	un voisin	une prison

Écris les mots dans les bons ensembles.

Des personnes

Des animaux

Des endroits

Des fruits

Maman, je t'aime.

9

Découpe la carte.

Écris un message pour la fête des Mères.

Bonne fête, maman !

Chère maman,
Tu me fais rire quand

Cette semaine,
je vais faire ceci
pour toi :

Voici les beaux mots
que je veux te dire :

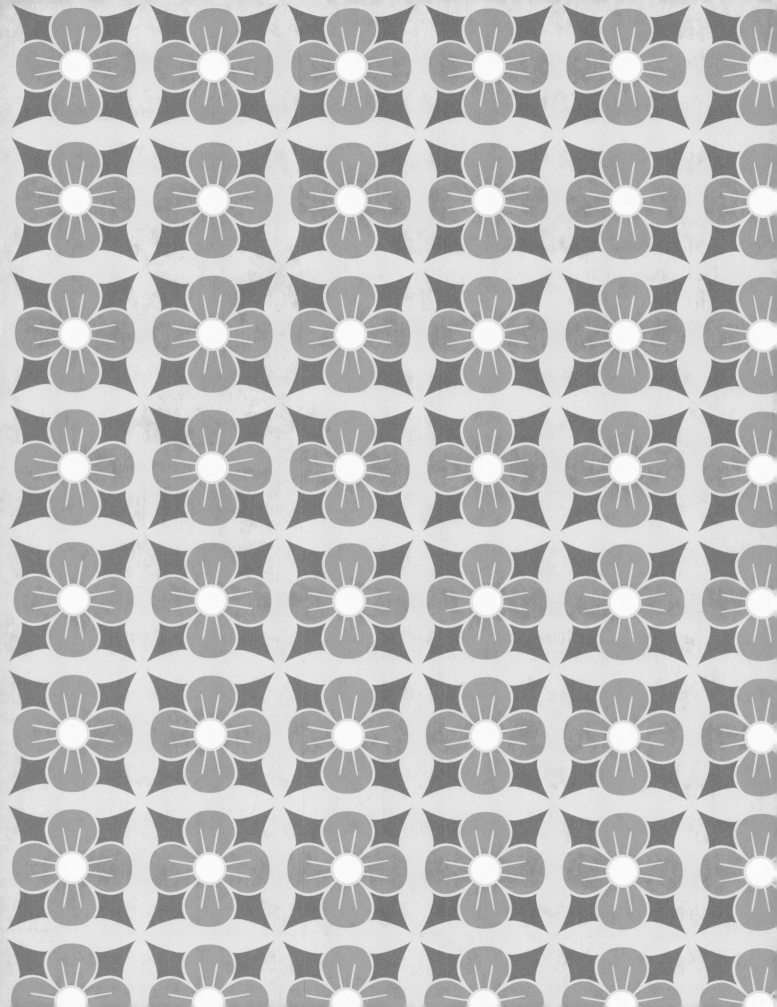

Des lettres bizarres

9

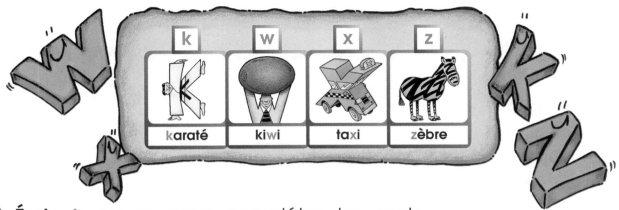

k	w	x	z
karaté	kiwi	taxi	zèbre

1 **Écris** k ou w pour compléter les mots.

- le clo _____ n

- le _____ araté

- le s _____ i

- le ki _____ i

- le _____ imono

- le _____ oala

2 **Écris** x ou z pour compléter les mots.

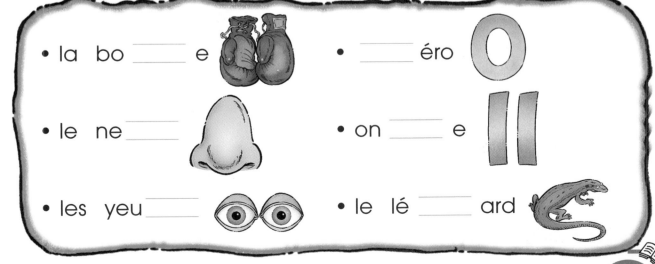

- la bo _____ e

- le ne _____

- les yeu _____

- _____ éro

- on _____ e

- le lé _____ ard

Lis la lettre.

Chère grand-maman,

Dimanche, je vais aller te voir avec toute la famille.

Papa va te donner un gâteau aux cerises.

Maman va te donner des fraises et du raisin.

Ma soeur Gabrielle va te donner une rose rouge.

Mon frère Augustin va te donner une boîte aux trésors.

Moi, je vais te donner un livre sur les oiseaux.

Je t'embrasse.

Marilou XX

Écris les réponses aux questions.

1 Qui a écrit la lettre ?

....

....

....

2 Qui va lire la lettre ?

....

....

....

3 Qui va visiter la grand-maman ?

● ....   ● ....

● ....   ● ....

● ....   ● ....

4 Quels cadeaux va recevoir la grand-maman ?

● ....

● ....

● ....

● ....

● ....

À la boutique de fleurs

pages 27 et 39
page 105

9

Écris les mots soulignés au féminin.

le ruban <u>blanc</u>

une boucle _____

un sable <u>brun</u>

une roche _____

un <u>petit</u> verre

une _____ tasse

un <u>beau</u> lilas

une _____ rose

un <u>gros</u> bouquet

une _____ plante

un <u>grand</u> fleuriste

une _____ fleuriste

De l'ordre, s.v.p.

Écris les mots dans chaque ensemble.

Suis l'ordre de l'alphabet.

métiers du cirque

- magicienne
- funambule
- acrobate
- clown

animaux du cirque

- ours
- lion
- singe
- éléphant

objets du cirque

- échasses
- roulotte
- cage
- chapiteau

Au cirque !

Imagine que Médor, Têtu ou Micha travaille dans un cirque.

Écris un texte pour raconter l'aventure vécue par ton personnage.

Prépare-toi à écrire.

☐ Quel personnage choisis-tu ?

Médor

Têtu

Micha

☐ Quel travail fait ton personnage ?

magicien

funambule

jongleur

acrobate

clown

☐ Qu'arrive-t-il dans ton histoire ?

| au début | au milieu | à la fin |

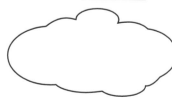

Tu peux utiliser les mots suivants :

| D'abord | Ensuite | Puis | Finalement | Tout à coup |

Au cirque !

Révise ton texte avec tes amis.

(dessin)

Regarde la page couverture de chaque livre.
Remplis chaque fiche.

Parfois, j'exagère !
Gilles Tibo
Illustrations : Mireille Levert
Rat de bibliothèque

1 Titre : ....
....

2 Auteur : ....
....

3 Illustratrice : ....
Je pense
que ce livre ....
raconte l'histoire ....
....
....

Une histoire de cochon
Léo-James Lévesque
Illustrations : Daniel Dumont
Rat de bibliothèque

1 Titre : ....
....

2 Auteur : ....
....

3 Illustrateur : ....
Je pense
que ce livre ....
raconte l'histoire ....
....
....

page
114

Mes coups de coeur

10

Présente les coups de coeur
de ton année à l'école
à tes amis et à tes parents.

Remplis
les fiches.

Mes activités préférées dans la classe

Mes fêtes préférées à l'école

Mes chansons préférées

Mes livres préférés

Un moment drôle

Mes nouveaux amis

Beau temps, mauvais temps

B
pages 116 et 117

Lis le texte.

Colle les autocollants de la page 115 au bon endroit.

Quand il fait beau, je peux :

- visiter le zoo,
- faire du vélo,
- aller en bateau,
- aller aux glissades d'eau,
- faire un casse-tête sur le patio,
- faire une balade en moto.

Quand il fait mauvais, je ne peux pas :

- faire voler mon cerf-volant,
- marcher dehors en chantant,
- jouer dehors avec d'autres enfants,
- aller au ciné-parc avec maman.

Mais je peux :

- jouer aux dominos,
- jouer avec mes petites autos,
- faire de la peinture à l'eau,
- voyager en métro.

Souligne les phrases qui sont illustrées.

Sous la pluie

1 **Colorie** l'illustration.

2 **Trace un X** sur les endroits
où Mélissa et Amélie peuvent se protéger de la pluie.

- ○ aux glissades d'eau
- ○ dans la niche de Têtu
- ○ dehors, sur la pelouse
- ○ dans la cour de récréation
- ○ dans le métro
- ○ dans l'autobus
- ○ sur une moto
- ○ dans un château

Écris deux autres mots sur chaque fiche.

ma — mé — mo

Médor

sa — so — sou

soleil

la — le — li

lapin

de — di — do

Dimitri

cha — che — chi

chaton

ta — to — ton

mouton

pa — pi — pou

poule

ca — ci — co

cadeau

ba — bé — bou

bébé

ra — ri — ro

girafe

ga — gi — go

gorille

va — vi — vo

vache

Voici la fiche
de Mélissa.

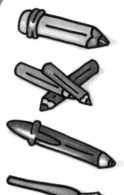

Mélissa Pariseau
Mélissa Pariseau
Mélissa Pariseau
Mélissa Pariseau

Voici ta fiche.
Écris ton nom.

page 110

page 96

Je croque un morceau
de carotte.

Je place ma dent
sous mon oreiller.

Ma dent branle.

Ma dent tombe.

Je trouve une surprise.

page 53

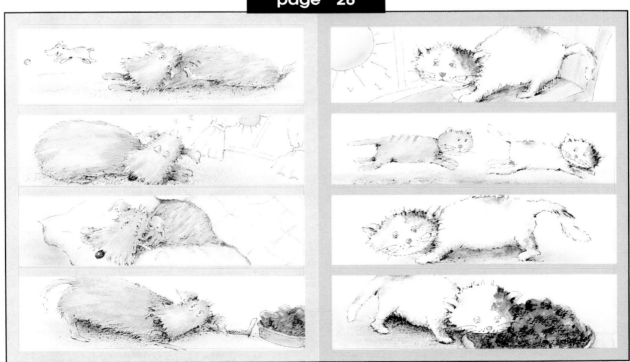

Mélissa

Nom

Nom

page 17

Bonjour papa,

Bonjour maman,

Regarde dans mon pupitre.

Regarde dans mon sac.

Regarde ma classe.

Regarde mes livres.

Écris-moi un message.

Je t'embrasse.

Je t'aime beaucoup.

Ton garçon,

Ta fille,

page 11

des livres	un tableau
un lit	des chaises
une table	des jouets
un tapis	un bureau
des pupitres	un ordinateur

page 9

La fille   Le chien

Le garçon   Le chat

aime   mange

joue avec   porte

la jupe.   son papa.

l'orange.   sa maman.

119

Mélissa

Je t'aime beaucoup.

Je t'aime.

Je t'embrasse.

Je suis ton ami.

Je suis ton amie.

Médor 6
Mélissa 2

121

Mélissa